pen

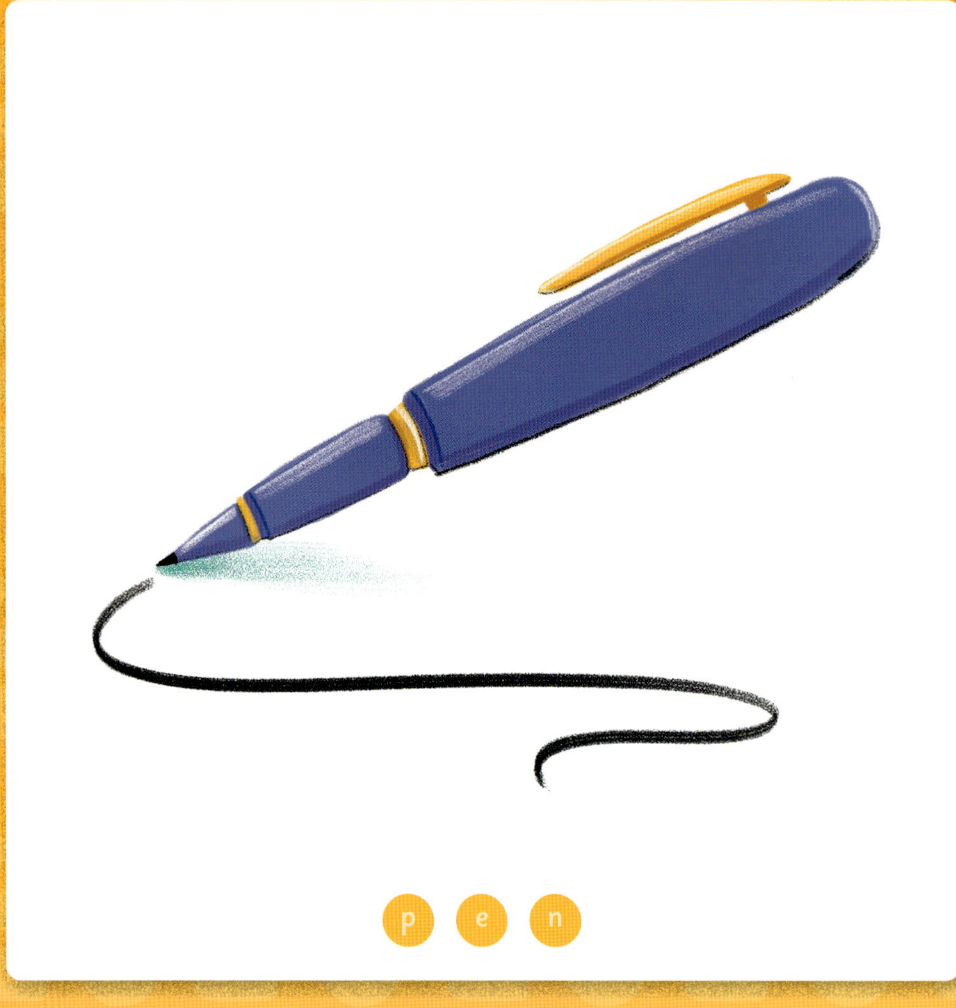
p e n

rat

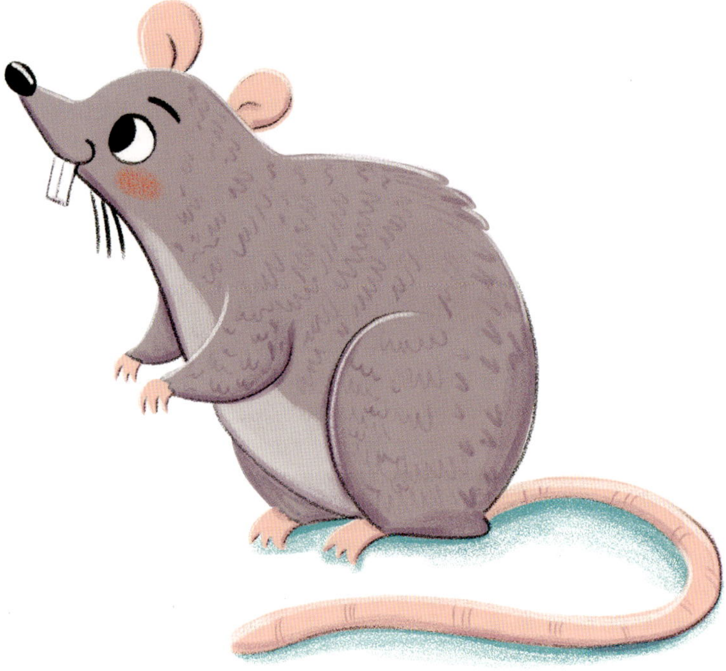

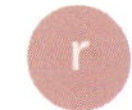
r
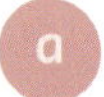
a
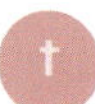
t

cap

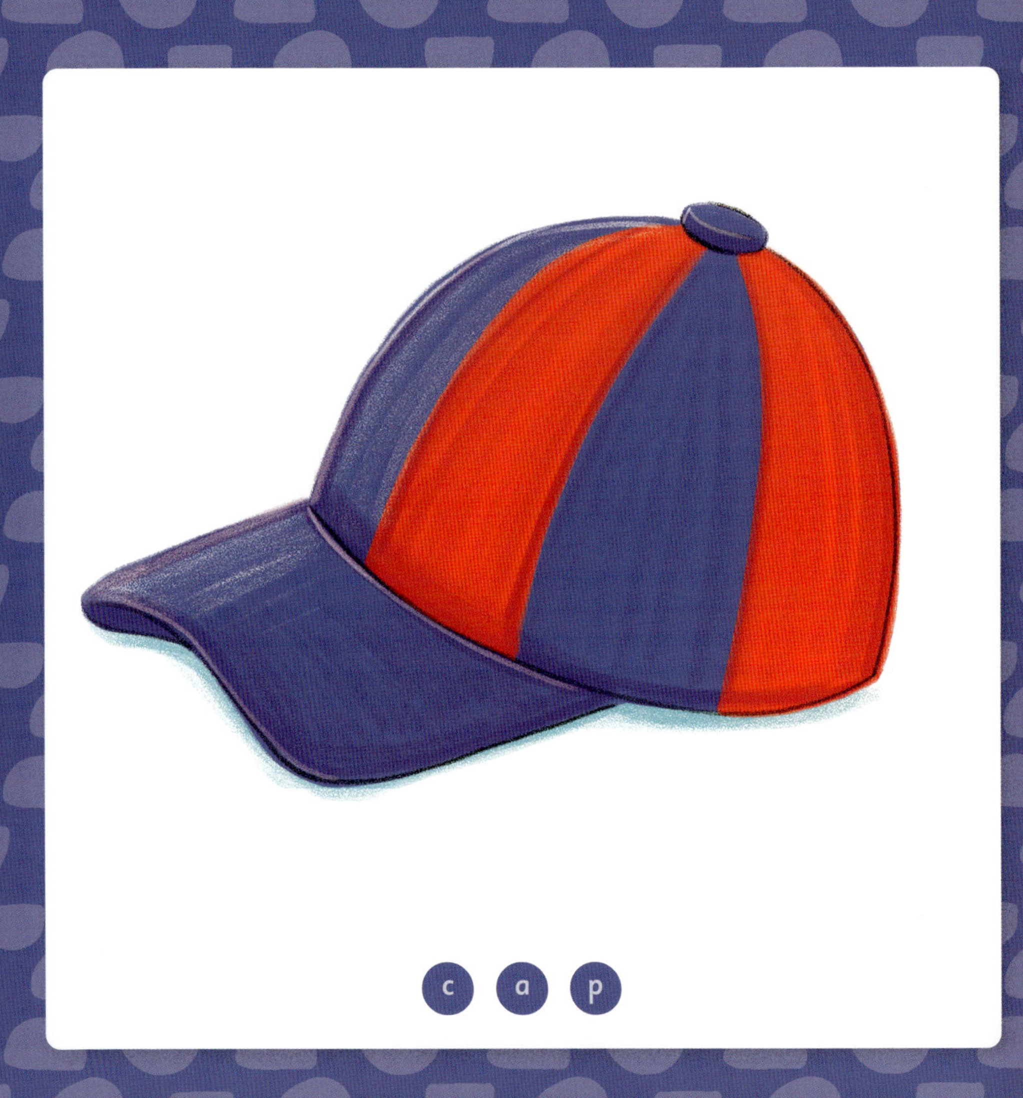
c a p

hen

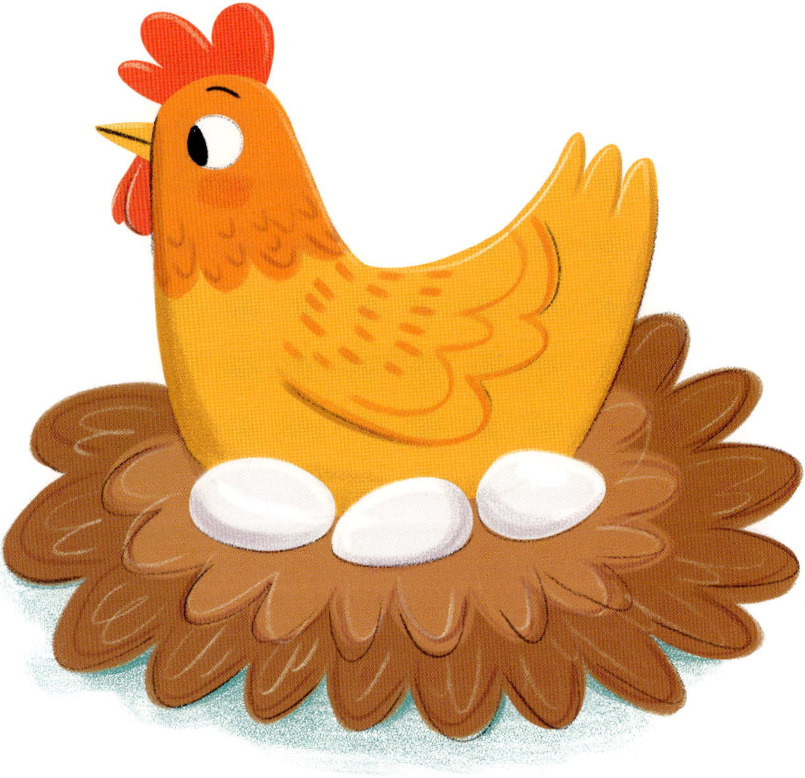

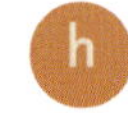
h
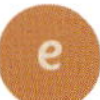
e

n

net

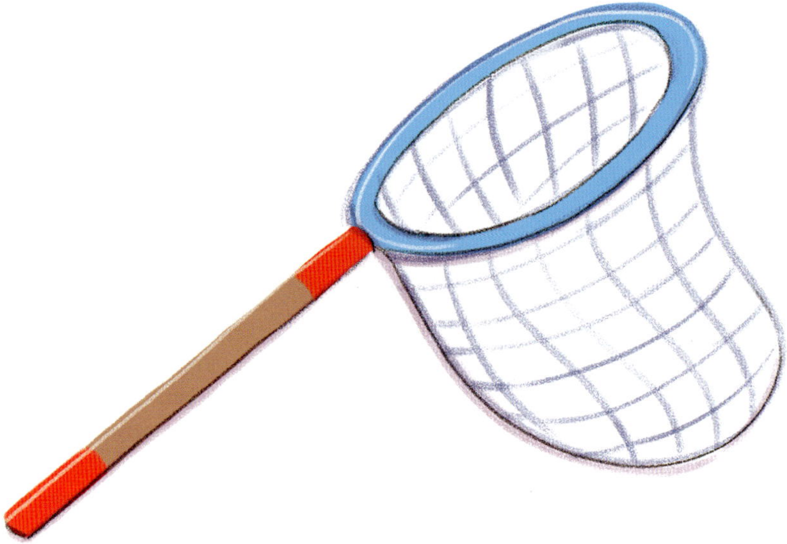

n
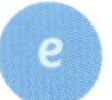
e

t

ram

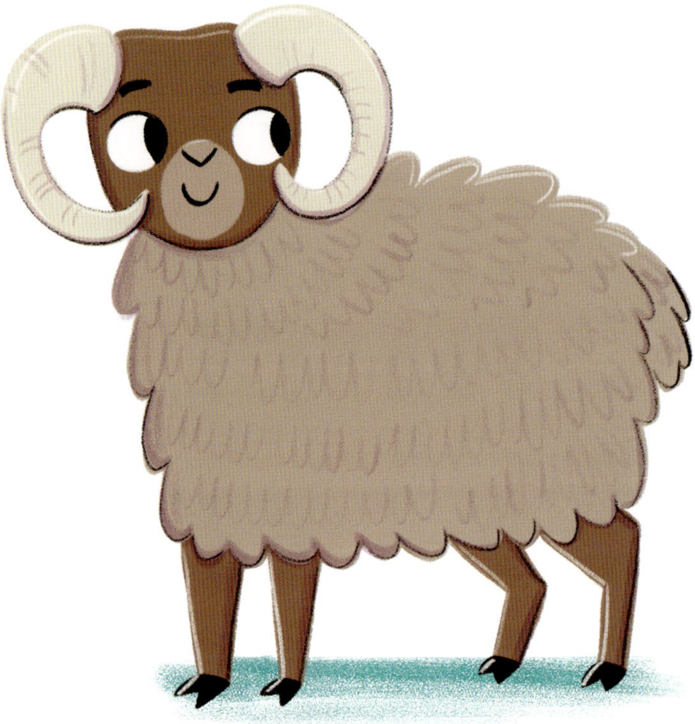

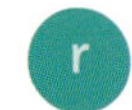
r
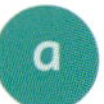
a

m

dress

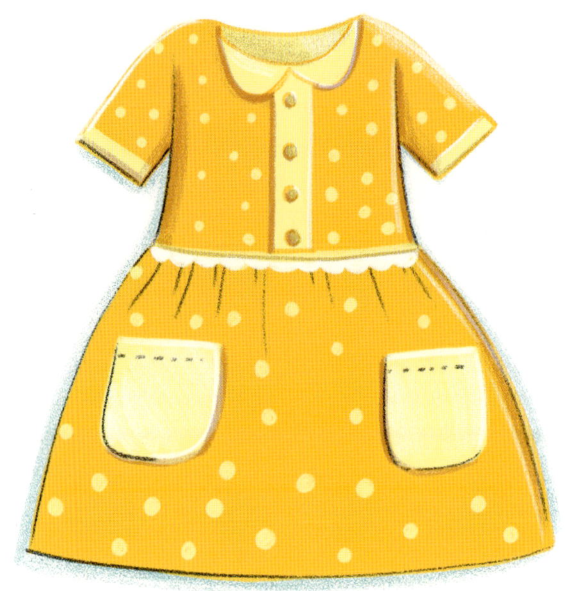

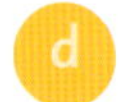
d

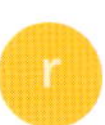
r

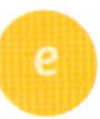
e

ss

picnic

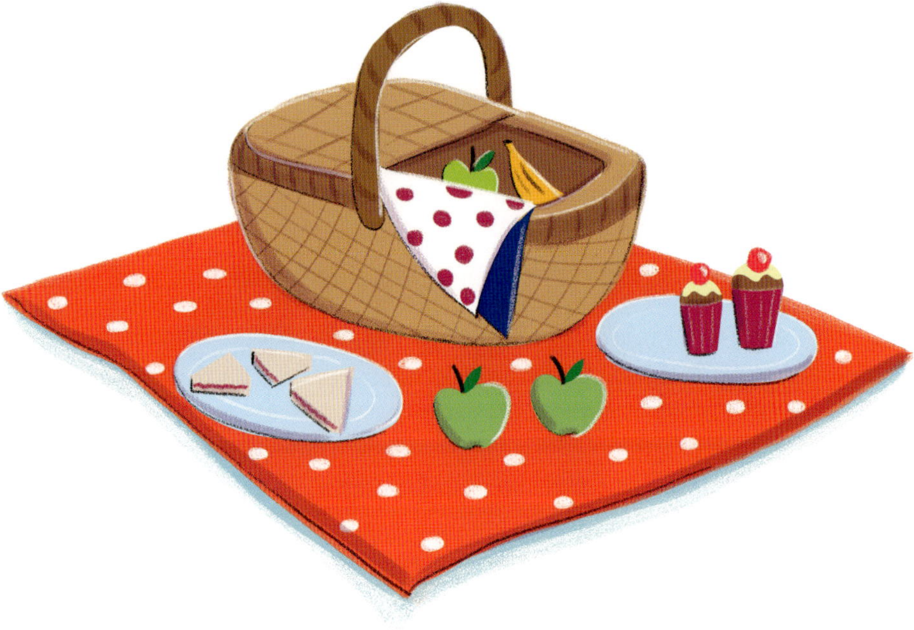

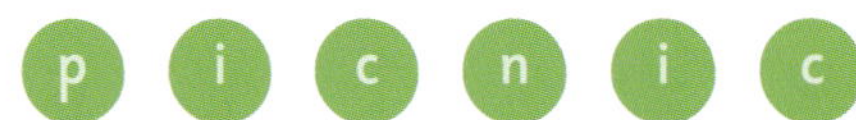
p i c n i c